오망오망

오망오망

발 행 | 2024년 07월 19일
저 자 | 김태호
펴낸이 | 한건희
펴낸곳 | 주식회사 부크크
출판사등록 | 2014.07.15(제2014-16호)
주 소 | 서울특별시 금천구 가산디지털1로 119 SK트윈타워 A동 305호
전 화 | 1670-8316
이메일 | info@bookk.co.kr

ISBN | 979-11-410-9612-0

www.bookk.co.kr

오망오망

김태호 지음

| 차례 |

제2부 모래시계

제3부 팔레트

제4부 별자리

|인사말|

저는 제 첫 시집 "오망오망"을 통해 여러분을 만나게 되어 매우 기쁩니다. "오망오망"은 제주도 방언으로 작고 또렷한 것들이 고르지 않게 많이 벌여 있는 모양을 뜻합니다. 마치 우리 일상 속 작은 순간들이 고르지 않게 펼쳐져 있는 것처럼 말이죠. 저는 이 시집을 통해 여러분과 함께 이러한 소중한 순간들을 나누고 싶습니다.

오망오망 모아낸 작은 이야기들
망울진 꽃처럼 피어나는 행복
오가는 사람들에게 전해지는
망설임 없는 소박한 마음

이 시는 이번 시집의 시작을 알리는 첫 번째 시입니다. 이 시를 통해 여러분께 저의 일상 속 작은 기쁨과 소박한 마음을 전하고자 합니다.

고등학생 시절 처음 시를 쓰기 시작했을 때 저는 단순히 창작의 기쁨만을 느꼈습니다. 하지만 평범한 일상 속에서 시와는 멀어졌고, 40대에 다시 시를 쓰기 시작했습니다. 삶의 경험과 감정들이 시로 표현되면서 저에게 위안과 힘이 되어 주었죠.

어느 날 잊고 있던 감정들과 마주하게 되었고, 그 감정들을 글로 표현하면서 다시 시의 세계로 돌아왔습니다. 시는 제게 일상 속에서 잃어버렸던 소중한 것들을 다시 찾아주는 도구가 되었습니다.

저는 이번 시집에 제 일상과 삶, 그리고 제가 느낀 감정들과 바라는 희망을 담았습니다. 여러분께서도 저의 경험과 감정들을 함께 느끼실 수 있기를 바랍니다.

이 시집을 통해 전하고 싶은 메시지는 매우 간단합니다. 우리의 일상 속 작은 순간들을 소중히 여기고, 그 속에서 행복과 위안을 찾자는 것입니다. 매일 반복되는 일상 속에서도 작은 기쁨과 고요함을 발견할 수 있다면, 우리의 삶은 더욱 풍요로워질 것입니다.

감사합니다.

제 1 부
조각보

햇살 가득한 아침

새벽이 열리며 창문 틈 사이로
따스한 빛이 천천히 스며든다
잠에서 깨어난 세상이
눈부신 황금빛으로 물든다

첫 햇살이 내리쬐는 순간
마음 깊숙이 퍼지는 따뜻함
하루의 시작을 알리는 이 순간
희망이란 이름의 설렘이 피어난다

조용한 아침의 고요 속에서
햇살이 전해주는 위안과 평온
마치 어제의 어둠을 잊게 하고
새로운 날의 가능성을 열어준다

모닝 커피

눈꺼풀이 무거운 아침
햇살이 살짝 고개를 내미는 시간
나는 검은 물결에 손을 뻗는다
뜨거운 잔에 담긴 작은 휴식

스윗함이 스며들어 온다
달콤 쌉쌀한 유혹의 손길
입술에 닿는 순간
나의 하루가 시작된다

시계바늘이 춤을 추며
출근길로 나를 재촉하지만
이 작은 잔 속에 숨겨진 여유
잠깐 동안의 천국 같은 순간

하루의 준비

새벽 첫 빛이 눈을 감싸며
잔잔한 고요 속에 세상이 깨어난다
커피 향기 속에 마음을 띄우고
음악이 흐르는 강물에
하루의 시작을 담는다

출근길은 바다를 건너는 배처럼
차창 너머 스쳐가는 인연의 파도
그 속에서 나도 작은 물결이 되어
새로운 항해를 시작한다
마음속 꿈의 돛을 올린다

출근길

매일 아침 눈을 뜨면
새벽의 첫 빛은 알람 소리와 함께 찾아오고
바쁘게 준비하는 시간 속에서
출근길이라는 모험이 시작된다

길 위의 자동차들은 일종의 장기말처럼
정해진 길을 따라 움직이고
버스 정류장은 언제나 사람들로 붐비며
각자의 목적지를 향해 나아가는 군단 같다
그리고 나는 그 속에서 작은 한 점이 되어
바다 위의 배처럼 밀려간다

차창 밖으로 스치는 풍경은
익숙한 듯 새로운 화면을 연다
마치 매일 반복되는 드라마의 한 장면처럼
도로 위의 차들이 엉키고 설키는 모습은
엉킨 실타래와도 같아

한 가닥 한 가닥 풀어내려는 노력이 필요하다
그리고 그 길 위에 펼쳐지는 작은 사건들
신호등 앞에 서서 만나는 길고양이
잠깐의 눈 맞춤에도 미소가 번진다
이어폰 속에서 흐르는 음악은
나만의 작은 공연이 되어
지루한 시간을 즐겁게 해준다

아침 인사

아침 햇살이 눈을 깨우면
새로운 하루가 시작되네
출근길 나서는 발걸음
동네 사람들 만나며 인사하네
"좋은 아침" 미소 가득

길모퉁이서 뛰노는 아이
맑은 웃음소리 맘 밝히고
작은 손 흔들며 인사하니
"안녕하세요" 해맑은 목소리

교통을 조절하는 경찰
이른 아침 신호를 그리며
도로의 지휘자 같은 모습
"안전하게 가세요" 친절한 말

사무실 문을 열고 들어서면
반가운 동료들의 얼굴
"좋은 하루 되세요" 따뜻한 말
서로의 미소 속에 하루가 밝아져

이렇게 아침 인사 나누며
기분 좋은 하루가 펼쳐지네

도시락

사무실 책상 위 편의점 도시락
플라스틱 속 일상의 반복된 맛
속이 허전한 채 익숙한 식사
하지만 떠오르는 집밥의 추억

엄마 손길, 아내의 사랑 담긴
정성스러운 도시락의 따뜻함
밥알 하나하나 속 이야기들
반찬마다 담긴 가족의 마음

김치 한 조각에도 담긴 정성
고슬고슬 밥 속 사랑의 향기
편의점 도시락은 편리하지만
그리운 집밥의 정겨움은 없네

오늘도 플라스틱 뚜껑을 열며
그리운 집밥을 마음에 담는다
편리함 속에도 부족한 따스함
사랑이 담긴 도시락의 기억

회의

회의실 문을 열 때마다 느껴지는 중압감
끝없는 말들의 바다 속에서 떠다니는 나
시간은 멈춘 듯 흐르지 않고
지루함의 파도가 밀려와 나를 삼키네

의자에 몸을 묶인 채 희미해지는 집중력
토론의 흐름 속에 길을 잃어버린 내 생각
끝이 보이지 않는 회의의 미로
탈출구 없는 토론의 굴레 속을 헤매네

메모

책상 위 메모는 작은 비서
종이에 적힌 글씨는 속삭임
작업의 흐름을 안내하는 길잡이
바쁜 하루의 동반자, 나의 메모
문서 속에 숨겨진 작은 조각들
모두 합쳐 완성되는 퍼즐 맞추기
메모와 함께 오늘도 달려간다

퇴근길

어둠이 내린 도시의 길목
하루를 마치고 돌아가는 발걸음
지친 몸을 이끌며 느끼는
작은 자유의 시작

네온사인 불빛은 별처럼 반짝이고
차가운 바람이 얼굴을 스치며
긴 하루의 무게를 덜어낸다
바람에 실려오는 익숙한 향기

야근의 피로는 그림자처럼 따라오지만
집으로 가는 길은 희망의 터널
길게 뻗은 도로는 내일을 약속하며
발걸음마다 피어나는 기대

지친 몸은 무겁지만 마음은 가벼워지고
한 걸음 한 걸음 집으로 향하며
따뜻한 집의 불빛이 반겨주리라
마음속 작은 안식을 찾는다

도시의 소음 속에서도 고요함을 느끼며
길 위에 새겨지는 하루의 흔적
그 속에서 새로운 내일을 꿈꾸며
길의 끝에서 기다리는 휴식

치킨한마리

야근의 무게를 벗고
집으로 가는 발걸음
지친 몸을 이끌며
생각나는 치킨 한 마리

황금빛 날개 펴고
집안의 별이 되리라
바삭한 소리는 아이의 웃음
향긋한 냄새는 아내의 미소

박스 속 작은 축제
우리 집 행복의 조각
따뜻한 치킨 한 마리
아버지의 사랑 담아

주말산책

바쁜 걸음 멈추고서
새벽 고요 걸어간다
일상 소음 사라지고
여명이 날 감싸준다

바람 속 나무 속삭임
마음 먼지 털어내고
길가 작은 꽃들 보며
미소 띄며 나를 본다

아이들 웃음소리에
새들 노래 어우러져
고요 속의 자유 속에
평온함이 가득하다

짧은 독서

햇살이 나무 사이로
살며시 비추는 벤치
잔잔한 바람이 스며들어
책장이 나를 부른다

단어 하나하나 속에서
새로운 세상을 만나고
페이지를 넘길 때마다
마음의 문이 열린다

산책길 잠시 멈추고서
벤치에 앉아 쉬는 동안
짧은 여유 속에서 찾은
평온함이 내게 다가온다

거리의 음악

노을이 거리를 물들이고
바람이 리듬을 타고 흐를 때
아이들의 웃음소리
맑은 종소리처럼 퍼지네

카페 앞 작은 스피커에서
흘러나오는 잔잔한 멜로디
커피 향기와 함께 퍼져
주말의 여유를 노래하네

가게 앞에서 들려오는
음악 소리가 바람을 타고
가볍게 흘러 귀에 머물며
거리 풍경을 아름답게 채워

다양한 소리들이 모여
도시의 심포니를 이루고
거리를 채운 이 멜로디가
내 마음을 평온하게 해줘

이 순간, 거리의 음악은
내 삶의 배경이 되어
모든 걱정을 잊게 하고
휴일의 즐거움을 전해준다

사랑하는 가족

멀리서 웃음 짓는 태양의 눈부신 미소
창가를 넘어 따사로운 빛이 방 안을 가득 채우네
어느새 깨어난 작은 손이 내 손을 꼭 잡고
우리는 말없이 함께 걷는다
소중한 순간이 영원처럼 느껴지는 이 시간

풀잎 위에 맺힌 이슬방울처럼
따스한 온기는 우리 곁에 조용히 머물고
파도 소리 속에 녹아드는 노래처럼
우리의 마음은 하나로 이어져
변치 않는 고요한 품속에서

저녁노을이 붉게 물든 하늘 아래
우리는 손을 맞잡고 이야기를 나누며
끝나지 않을 것 같은 하루를 마무리한다
서로를 아끼는 마음으로, 나누는 온기로
또 다른 내일을 꿈꾸며

삶의 나눔

아침의 고요함이 부드럽게 깃들어
따뜻한 차 한 잔 손끝에 전해질 때
가족 모여 앉아 이야기를 나누네
지난주 기억 웃음꽃 피워나네

작은 행복 조각들 모여
아이의 웃음소리, 아내의 눈빛
함께한 시간들로 우리 삶 채워
작은 순간들이 모여 큰 기쁨 되어

정성껏 준비한 음식 나누며
서로의 이야기를 들려주고
마음의 문이 열리는 걸 느끼네
우리의 추억 점점 깊어지네

휴식

맛의 오케스트라가 막을 내리고
쇼파는 부드러운 품으로
나를 안아주네
세상 모든 소음 멀리 사라지고
고요한 자유로움이 나를 찾아오네

소파에 몸을 맡기니
시간은 천천히 흐르고
눈을 감으면 꿈의 나라로 떠나
피곤한 몸과 마음이 가벼워지네

아무도 방해하지 않는 이 순간
내 안의 평화가 꽃피고
일상의 짐 내려놓고
잠시 나만의 쉼 속으로 빠져드네

낮잠

평일의 파도를 넘어
주말은 고요한 항구
쇼파는 나의 안락한 배
이불은 따뜻한 파도가 되어 나를 감싸네

일주일 내내 바쁘게 항해하다
드디어 닻을 내리는 시간
몸은 무거운 닻처럼 내려앉고
눈꺼풀은 느릿느릿 닫히는 항구의 문

꿈의 바다로 나를 이끄는 배
모든 걱정은 먼 바다에 두고
코 고는 소리는 파도 소리 되어
평화의 바다 속에서 나를 쉬게 하네

꿈

주말 낮잠 속으로 깊이 빠져들면
눈앞에 펼쳐지는 꿈의 무대
마법의 숫자들이 춤을 추며
행운의 로또가 내게 속삭이네

피곤한 몸은 잊은 채
황금빛 번호가 번쩍이고
내 손엔 당첨된 로또 한 장
꿈 속에서 나는 백만장자

금화가 쏟아지는 방에서
아이와 아내의 환한 웃음
집안 가득 행복이 피어나고
꿈 속에서 현실의 짐을 내려놓네

지갑 속에 꽉 찬 돈다발
머릿속엔 떠오르는 무한한 가능성
삶의 무게는 가벼워지고
꿈 속에서 모든 것이 이루어지네

깨어나면 남는 건 아련한 미소
현실은 여전히 고단하지만
꿈 속의 희망이 내일을 비추며
오늘도 나는 다시 꿈을 꿔

미래

주말 저녁 소파에 누워
생각은 저 멀리 떠나네
걱정의 안개가 드리워져도
가족의 웃음은 나의 별

미래는 신비로운 숲
희망과 두려움이 얽혀 있어
나는 용기라는 등불을 들고
가족과 함께 길을 찾아가네

아이의 꿈은 나침반
아내의 미소는 따뜻한 바람
불확실한 길 위에서도
이들을 생각하면 길이 보이네

소망

깊은 밤하늘에 심어진 작은 씨앗
가족의 꿈을 품은 따뜻한 빛
아이의 웃음 속에, 아내의 눈빛 속에
하루하루 자라나는
우리의 희망의 나무

제 2 부
모레시계

천재였을까

어머니의 눈 속에 반짝이는 별
아버지의 꿈 속에 춤추는 천사
아이의 작은 손에 담긴 우주
모든 가능성의 씨앗은 싹트고

주변 사람들 속삭임 속
위대한 재능의 씨앗은 땅을 딛고
매일 아침마다 출발선에 서서
끝없는 경주를 시작한다

어느 순간 발걸음은 느려지고
별빛은 흐려지며
꿈은 현실의 무게로 무너지고
평범한 길 위에 발자국을 남긴다

하지만 부모의 눈엔 여전히
반짝이는 별이
아이의 걸음 속에
빛나고 있다

생각과 다른 평범함

새벽녘 밝은 빛 속
작은 새의 노래
무지개의 끝을 찾아가는 여정
아이의 발걸음은 나비의 춤처럼

교실 속의 작은 자리
눈부신 빛을 찾아
별처럼 빛나는 아이들 사이에
우리 아이의 모습은 숨어있다

특별한 빛을 기대하며
마음의 무게는 점점 가벼워지고
일상의 소음 속에서
아이의 목소리는 잔잔하게 흩어진다

그 순간 깨닫는다
평범함 속에 숨어있는
진정한 아름다움이란
그저 빛나는 순간이 아님을

똑같은 길

새하얀 도화지 위에
검은 잉크로 그려진 선들
하나하나 이어져
똑같은 길을 그리며

교실 속의 작은 창문
바깥 세상을 바라보며
모두 같은 책을 펴고
같은 꿈을 쫓아가네

줄 맞춰 걷는 발걸음
리듬 맞춰 외치는 소리
여러 색을 섞지 않고
한 가지 색만으로 채워가며

언제나 똑같은 길 위에
그 길에서 찾는 특별함
다를 수 없는 현실 속에
우린 그저 비슷해지네

비슷한 걸음

작은 책상 위에 펼쳐진
같은 책을 읽으며
같은 길을 걷는 듯한
비슷한 걸음들

교실의 창문을 통해
바라보는 세상은 같지만
작은 마음 속에 숨겨진
다른 색의 빛깔들

모두가 같은 노래를 부르지만
각자의 음색은 다르고
한 줄로 걷는 행렬 속에서도
조금씩 다른 발걸음

시간이 흐를수록
다양한 빛깔들이 모여
평범함 속의 특별함을
비슷한 걸음 속에서 찾네

탄천의 손길

풀 내음 가득한 아침길을 따라
작은 다리 위를 건너며
흐르는 물 소리에 귀를 기울였다

교복이 무겁게 느껴지던 날들
친구들과 웃으며 걸었던 시간
발걸음이 가벼워지는 소리

나무 그늘 아래에서 잠시 멈추고
따스한 햇살이 얼굴을 스칠 때
그 손길은 언제나 나를 이끌었다

그곳에서만 느낄 수 있었던 자유
책가방 속에 담긴 꿈들과 함께
탄천은 나의 비밀 친구였다

재활용 파수꾼

색색의 용기들 속에 숨겨진 보물들
종이와 플라스틱, 유리와 캔
작은 손길로 세상을 구하는 법을 배웠다

매일 아침, 교실 구석 작은 전쟁터
더러운 손을 싫어하던 친구들 사이에서
나는 용감한 파수꾼이 되어

버려진 것들 속에서 가치를 찾아내고
희망을 담은 꿈들을 주워 모았다
그 속엔 우리 미래가 있었다

바람이 불어오는 창가에서
하늘을 바라보며 생각했다
작은 손길 하나하나가 모여
새로운 세상을 만들 수 있다고

책상 위에 쌓인 책들과 숙제들
하지만 나의 마음은 분리수거함에
더 많은 애정을 쏟았다

우리의 손끝에서 시작된 변화
그 작은 움직임이 만들어낸 기적
지구를 지키는 파수꾼의 이야기

싫었던 공부

교실 창가, 세상은 넓고 빛나는데
책 속의 글자는 마치 어둠 속 별처럼
손에 잡히지 않는 꿈들만 가득하네

선생님의 목소리, 먼 바다의 파도처럼
귀에는 들리지만 마음엔 닿지 않아
친구들의 웃음소리, 바람 타고 멀리 가고

교과서의 무게는 산처럼 느껴지지만
연필 잡은 손은 자꾸만 멍하니 서성이고
종이 위의 낙서들만 늘어가는 시간

머릿속엔 끝없는 모험과 이야기들
공부보단 다른 세상이 더 매력적이라
무지개를 따라 달리고 싶은 마음

시험지의 숫자들은 단지 기호일 뿐
세상의 이치는 창 밖 구름에 담겨 있지
그날의 하늘, 지금도 눈앞에 선명하네

환경의 아름다움

버려진 것들 속에서 찾은 보물들
작은 손길이 만들어낸 새로운 이야기
종이와 플라스틱, 또 다른 생명을 얻고

중학교 운동장 한켠, 재활용의 무대
쓰레기 더미 속에서도 피어나는 꽃
학생들의 손에서 다시 태어나는 세상

작은 병 속에 담긴 꿈의 조각들
재활용이 알려준 자연의 비밀들
우리는 그 안에서 배운 소중한 가치

깨끗해진 공터, 푸른 하늘을 비추고
환경을 지키는 작은 노력들이
우리 삶의 터전, 아름다운 미래로

쓰레기통 앞에서 시작된 깨달음
재활용의 손길이 닿은 곳마다
우리는 더 나은 세상을 꿈꾸었네

사랑했다

낡은 교복 속에 숨겨진 이야기들
교실 책상 위에 새겨진 작은 꿈들
시간이 지나도 지워지지 않는 흔적들

햇살 가득한 운동장, 소년의 웃음소리
친구들과 함께한 순간들, 그 속의 열정
말로 다하지 못할 소중한 기억들

비 오는 날, 창가에 맺힌 빗방울들
창 밖의 풍경 속에 담긴 그리운 모습들
우산 속에서 나눈 비밀스런 대화들

작은 일상 속에 스며든 큰 행복들
사소해 보였던 모든 순간들이
지금은 소중한 보물이 되었네

우리가 함께했던 그 날들
지나가버린 시간 속에
여전히 빛나는 추억들

IMF 시절

길가에 놓인 빈 가마니
무거운 발걸음과 가벼운 주머니
어둠 속에서도 빛나는 사람들
눈빛은 초점을 잃지 않았네

밤하늘에 별이 빛나던 시절
별들은 우리의 희망이었지
지친 얼굴들 속에서도 웃음 찾으려 했던
우리의 마음은 하나였네

거리의 소음은 우리의 노래
힘든 하루 끝에 잠든 아이들
작은 손으로 나누는 따뜻한 온기
잊을 수 없는 그 시절의 기억

아픈 상처를 품고 살아가지만
서로의 등을 맞대고 버틴 시간들
그래도 우리는 다시 일어설 수 있었네
그 시절의 우리는 강했으니까

짧은 이야기

구름 사이로 햇살이 스며들고
길가에 놓인 작은 싹들
비바람에 흔들렸지만
뿌리를 내리며 자라난

아이들의 웃음소리
골목길에서 울려 퍼지고
작은 손으로 그린 그림들
희망을 담은 색색의 물감

잠깐의 어둠이 찾아와도
우리는 다시 일어섰지
잠시의 추위에 몸을 떨었지만
결국 다시 온기를 찾았네

짧지만 강렬했던 그 시절
서로의 손을 잡고 견뎌낸
그 시간은 잊을 수 없는 이야기
우리의 마음속에 영원히 남아있네

가난의 아픔

빈손으로 가득 찬 하루
길가에 흩어진 꿈들
날개를 잃은 새처럼
하늘을 바라보며 한숨 쉬네

저녁 노을이 아름다웠던 시절
밥상 위의 빈 접시
작은 희망마저 포기해야 했던
그날의 기억이 아프게 남아있네

한 번쯤은 달콤한 것을 원했지만
입술에 닿지 않는 사탕
작은 손으로 꿈꾸던 미래
가난의 그림자가 덮쳐왔네

그래도 우리는 살아갔지
포기하고 다시 일어나며
서로의 손을 잡고 버텨냈던
그 시절의 아픔은 이제 추억이 되어

기억 속에 남아있는 그 날들
아픔 속에서도 웃으려 했던
우리는 결국 강해졌지
가난의 아픔을 이겨낸 우리가 있으니까

절약의 슬픔

작은 촛불 하나
어둠을 밝혔던 그 시절
한정된 빛 속에서
희미하게 웃으며 살아갔네

길거리의 상점들
화려한 불빛 대신
낡은 간판 아래
작은 희망을 담아

한 알의 쌀도 소중했지
소박한 밥상 위
함께 나누던 한 끼
가득한 마음으로 채워졌네

장난감 대신 나무토막
그 속에서 찾은 행복
비록 작았지만
우리는 충분히 만족했지

모든 것을 아껴야 했던
그 시간들 속에서도
서로의 온기를 느끼며
슬픔 속에서 웃음을 찾았네

추억

고된 시간의 잔해 속에
남겨진 작은 보석들
잿더미 속에서도 빛나던
우리의 눈물과 웃음

낡은 사진첩 속에
희미하게 남아있는
그때의 얼굴들
지금의 나를 만든 기억들

작은 방 한구석에서
서로의 손을 잡고
미래를 꿈꾸던 날들
힘들었지만 아름다웠지

땀방울이 맺힌 이마
눈물로 적신 베개
그 모든 순간들이
나를 강하게 만들었네

지금의 나는
그때의 우리 덕분
아픔을 이겨내고
웃을 수 있는 오늘이 있으니까

추억은 우리를 잊지 않고
가슴 깊이 새겨진
그 시절의 고통과 기쁨
모두가 내일의 희망이 되어

생계의 선택

길게 뻗은 도로 위
수많은 발자국들

하루를 보내는 그들의 모습은
특별하지 않지만
보통의 삶을 살아간다

허리 굽혀 일하고
땀 흘려 얻은 빵 한 조각
손에 쥐고서도

어느새 저녁노을 아래
그들은 다시 걸음을 재촉한다

내일을 위해
평범한 길 위에서
우리는 모두 같은 얼굴로
또다시 출발한다

가족의 울타리

한 채 작은 집
그 안에 웃음소리 가득히
어제의 피곤함도
오늘의 따뜻함으로 잊혀지고

평범한 사람의 삶
그 평범함 속의 특별함

저녁 밥상 위
소소한 이야기들
모두의 얼굴에 번지는 미소

바람이 불어도
굳건히 서 있는 나무처럼
가족이란 울타리 안에서
서로를 지키며

때로는 비틀거리고
때로는 흔들려도
다시 일어서는 힘은
사랑에서 나오네

한없이 평범한 삶 속에서
가장 소중한 순간들
그 울타리 안에서
평범한 행복을

아이의 웃음

작은 별이 반짝이는
눈 속에 담긴 세상
낮게 깔린 구름 사이로
빛나는 작은 기적

바쁜 일상의 물결 속에서
잠시 멈춰 웃음을
담아 두는 그 순간
지친 마음이 풀리는
마법 같은 한 순간

수많은 걱정의 파도 속에
파도 타고 흘러가는
그 작은 얼굴의 미소
희망이 다시 솟아오르네

내일도 그 빛이
어둠 속에서
환히 빛나기를 바라며
오늘을 살아간다

직장의 하루

아침 해가 떠오르면
기계처럼 움직이는
사람들의 물결 속에
나도 그 일부가 되어

거대한 회전목마에 올라
반복되는 회전 속에
어제와 같은 길을
오늘도 다시 밟는다

서류 더미에 묻혀
끝없는 회의 속에서
시계만이 유일한 친구가 되어
침묵 속에 시간을 잰다

저녁 노을이 물들면
한숨과 함께 벗어나는
하루의 껍질을 벗고
다시 사람으로 돌아간다

회상의 밤

조용히 스며드는 달빛
그 속에서 나는 생각에 잠겨
지나간 시간의 파편들을
조심스레 꺼내어 본다

어린 시절의 그림자
흐릿한 기억의 조각들
그 속에 담긴 미소와 눈물
모두 다시 펜 끝에 담아내려

하루의 무게를 내려놓고
깊은 밤의 정적 속에서
새로운 이야기를 엮어가는
마법 같은 순간을 기다린다

꿈과 현실의 경계에서
잃어버린 단어들을 찾아
다시금 마음을 채우며
하루를 마무리한다

다시 쓰기

빈 페이지 앞에서
펜 끝은 멈춰 있고
머릿속의 생각들은
마치 날지 못하는 새처럼

단어들을 고르고
문장을 이어가지만
쉽게 흩어지는 모래알처럼
의미는 사라지고 만다

끊임없이 고쳐 쓰며
완벽을 꿈꾸지만
매번 느끼는 부족함이
한숨으로 번져간다

그러나 포기할 수 없어
다시 펜을 들어
마음을 담아 쓰는
끝없는 여정이 이어진다

제 3 부
팔레트

기쁨의 빛

깊은 어둠 속에 작은 빛 하나
조용히 피어오르는 순간

가슴 속 깊이 숨어있던 슬픔의 눈물
서서히 마르고

분노의 불꽃 속에서도
따스한 사랑의 속삭임이 들려오네

두려움의 그림자 걷히는 아침
새로운 날의 약속을 품고

미소 짓는 눈빛으로 세상을 비추네

슬픔의 눈물

하늘의 구름이 무겁게 내려앉을 때
그 아래 가려진 달빛

흐린 눈동자에 스며드는
차가운 바람의 입맞춤

고요한 밤의 깊은 곳에서
희미한 별빛마저 잃을 때

불안한 마음속에서 들려오는
아련한 기억의 속삭임

슬픔의 어둠이 길게 드리운 채
새벽이 오기만을 기다리네

분노의 불꽃

깊은 밤의 적막 속에서
눈부신 붉은 꽃이 피어오르네

어둠 속에 가려진 마음의 울림
단단한 껍질을 깨고 나와

새벽의 차가운 공기마저
뜨거운 숨결로 뒤덮이며

멀리서 들려오는
부서진 마음의 외침

그 속에서 찾은 희미한 소리
사랑의 작은 속삭임

그리고 그 아래 도사리는
두려움의 검은 그림자

타오르는 붉은 밤 속에서
조용히 기다리네

사랑의 속삭임

조용한 밤의 창가에
부드러운 바람이 스치며

달빛이 고요히 내리던 순간
속삭임처럼 들려오는 소리

어둠 속에 감춰진
은은한 향기와 함께

가슴 깊이 스며드는
따스한 손길의 기억

멀리서 들려오는
아련한 꿈의 노래

그리운 마음을 채우며
조용히 나를 감싸네

두려움의 그림자

고요한 밤의 끝자락에서
길게 드리운 어둠의 장막

별빛이 희미해진 순간
조용히 밀려오는 속삭임

마음 깊은 곳에 남겨진
불안한 숨결의 잔향

희미한 기억의 그림자가
서서히 내리는 안개 속에

부서진 꿈의 조각들이
차가운 바람에 흩어지며

멈추지 않는 시간 속에서
끝없는 밤을 기다리네

희망의 불씨

깊은 절망의 골짜기 속
아득히 멀어진 빛 하나
잔잔한 바람이 불어올 때

작은 별이 깨어나고
고요한 밤의 끝자락에서
온기를 전하는 숨결

외로움의 긴 그림자가
부드럽게 감싸오는 순간
흩어진 꿈의 조각들이

다시 모여드는 아침
희미한 빛이 점차 밝아지며
새로운 길을 열어주네

절망의 골짜기

깊고 어두운 그곳에
서늘한 바람이 스치고
숨죽인 채로 흐르는 시간

별빛조차 닿지 않는 곳
가슴속 깊이 남겨진
어둠의 무게가 무겁게 내려앉고

텅 빈 공간의 고요 속에
멀리서 들려오는
희미한 메아리의 울림

긴 밤의 그림자가 드리운 채
외로움의 속삭임이
은밀히 마음을 감싸네

희미한 빛이 먼 곳에서
조용히 눈을 뜨며
새벽의 약속을 속삭이네

안도의 숨결

긴 밤의 끝자락에서
서늘한 바람이 스쳐가고
은은한 달빛이 창을 비추네

어둠 속에 감춰진 마음
고요히 흔들리는
속삭임 같은 잔잔한 소리

깊은 한숨 속에 남아있는
불안한 기억들이
조용히 사라져 가고

별빛 아래 잠들어가는
평온한 시간의 흐름
부드러운 손길이 닿는 순간

새벽의 찬 기운 속에서도
따스한 온기가 감돌며
새로운 날을 준비하네

외로움의 밤

깊은 어둠 속에 잠긴 밤
달빛은 조용히 흐르고
차가운 바람이 스쳐 지나네

창가에 앉아 있는 마음
희미한 별빛을 바라보며
속삭임 같은 외로움이 스며드네

긴 밤의 정적 속에서
시간은 천천히 흐르고
고독의 그림자가 길게 드리워져

그리운 기억들이 떠오르며
가슴 속에 메아리치고
조용히 눈을 감는 순간

희미한 빛이 다가오며
새벽의 약속이 들려오네
고요한 밤의 끝자락에서

열정의 불꽃

깊은 밤의 정적 속에
빛나는 눈동자 하나
가슴 속에 숨겨진 불씨
고요한 시간의 흐름 속에서

작은 속삭임이 번져가고
마음의 깊은 곳에서 깨어나는
별처럼 반짝이는 꿈들이
어둠을 뚫고 솟아오르며

뜨거운 숨결로 번져가네
그리움의 편지를 쓰며
손끝에 스치는 감정들
멀리서 들려오는 바람에도

흔들리지 않는 마음
끊임없이 타오르며
새로운 길을 밝히네
고요한 밤의 끝자락에서

그리움의 편지

창가에 앉아 있는 마음
조용히 내리는 달빛 아래
바람에 흔들리는 그림자
그리움이 번져가네

멀리 떠난 시간 속에
남겨진 따스한 기억들
손끝에 스치는 감정들
눈물로 적셔진 편지

밤의 깊은 정적 속에서
고요히 울리는 마음의 소리
별빛에 실어 보내는
아련한 속삭임

짙은 어둠을 뚫고
서서히 밝아오는 새벽
그리운 마음을 담아
새로운 날을 맞이하네

짜증의 바람

고요한 밤의 끝자락에
차가운 바람이 스치고
잠든 마음을 흔드는
불편한 속삭임이 들려오네

작은 창틈 사이로
스며드는 날카로운 숨결
가슴 속 깊은 곳에서
불안이 조용히 일어나네

흐릿한 별빛 아래
불안한 그림자 드리우고
어둠 속을 헤매는 마음
고요히 떨리는 손길

깊은 숨을 내쉬며
차가운 공기를 견디고
멀리서 다가오는 새벽
안도의 빛이 비춰지네

평화의 미소

고요한 아침 햇살이
나뭇잎 사이로 스며들고
부드러운 바람이 감싸네

잔잔한 물결 위에
비치는 은은한 빛
마음이 편안해지네

어두운 밤을 지나
새벽의 빛이 다가올 때
긴장감 서서히 사라지네

파란 하늘 아래
새들의 노래가 울리고
마음이 미소를 짓네

긴장의 끈

밤의 고요한 정적 속에
숨죽인 듯한 공기
가슴 속 떨림이 퍼지네

별빛은 희미하게 빛나고
마음은 긴장의 선을 타며
바람이 차갑게 스치네

짙은 어둠 속에서
손끝에 닿는 냉기
깊은 숨을 내쉬며

시간은 느리게 흐르고
긴장된 마음의 울림
고요히 흔들리는 순간

희미한 새벽빛이
천천히 다가오며
서서히 긴장이 풀리네

환희의 순간

어둠을 뚫고
햇살이 비추는 아침
가슴 속 설렘이 깨어나네

맑은 하늘 아래
바람이 노래하며
새들이 춤추는 시간

꽃들이 피어오르는
찬란한 들판에서
미소가 번져가네

그 순간의 빛깔은
모든 것을 감싸고
마음 속 환희가 퍼지네

눈부신 빛 속에
모든 걱정 사라지고
희망이 가득한 세상

실망의 그림자

빛이 점차 사라지고
짙은 어둠이 내려앉을 때
마음에 드리운 그늘

희망의 별빛이
흐려지며 멀어지고
가슴 속 깊은 한숨

한낮의 열기가 식으며
차가운 바람이 불어와
생각의 미로에 갇히네

환희의 순간 뒤에
남겨진 빈자리
고요히 스며드는 슬픔

다시 찾을 수 없는
그 빛의 기억 속에서
조용히 눈을 감네

설렘의 떨림

조용한 새벽 공기 속에
희미한 별빛이 반짝이고

가슴 속 작은 불씨가
서서히 깨어나는 순간

창가에 내리는 달빛 아래
은밀한 속삭임이 들려오네

바람에 흔들리는 잎새처럼
마음은 부드럽게 떨리고

눈부신 아침 햇살 속에
새로운 날의 약속이

가슴 깊이 스며들며
설렘의 숨결을 전하네

배신의 상처

깊은 밤의 적막 속에
차가운 바람이 불어오고

가슴 속 따스함이
서서히 식어가는 순간

어둠 속에서 스며드는
날카로운 속삭임이 들려오네

잔잔한 물결 위에
비치는 은은한 그림자

고요히 흔들리는
마음의 금이 가고

깨어진 신뢰의 조각들이
서서히 가라앉으며

사라져가는 희망의 빛
슬픔이 마음을 덮네

용기의 외침

깊은 어둠 속에서
고요히 솟아오르는 빛
두려움의 장막을 가르고
눈부신 아침을 맞이하며

가슴 속 깊은 곳에서
울려 퍼지는 은밀한 소리
차가운 바람에 맞서
굳게 서는 나무처럼

흐린 하늘 아래에서도
빛나는 별이 되어
새벽의 찬 기운 속에서도
따스한 온기로 가득 차네

눈물로 얼룩진 밤을 지나
마침내 외치는 그 소리
마음을 밝히는 빛이 되어
희망의 길을 열어가네

의심의 눈동자

안개 속에서 떠도는
희미한 빛의 잔상
가슴 깊이 스며드는
조용한 불안의 그림자

은밀히 속삭이는
바람의 차가운 숨결
깊은 밤의 어둠 속에
흐릿한 별빛이 깜빡이며

마음 속 흔들리는
불확실한 시선
시간의 흐름 속에서
점점 짙어지는 그늘

새벽의 첫 빛이
조용히 밀려오며
흐려진 눈동자에
밝은 빛이 닿네

제 4 부 별자리

희망의 등불

암흑 속에서 길을 잃은 나그네가
흑백의 세상 속에서 헤매이네

밝은 빛은 어디에 있나
혀끝에 맴도는 희미한 웃음

인생의 곡예를 타는 날들 속에서
도망치려 해도 갈 곳이 없네
할 수 없이 웃음을 터트리네

작은 등불이 비추는 길
은은한 빛이 내 마음을 녹이네

빛은 희망의 이름으로 나를 감싸네

미래의 길

앞서가는 작은 발걸음
날마다 새로워지는 꿈

환히 빛나는 그 길 위에서
히죽히죽 웃음 짓는 우리

비바람이 몰아쳐도
추위 속에서도 꿋꿋이
며칠 밤을 지새운다

나아갈 길이 멀어도
아직 남은 걱정 있지만
갈 수 있다 믿고 가는

길 끝에서 만날 희망의 불빛

상상의 나래

하늘을 나는 작은 새
늘 푸른 꿈을 안고

자유로이 날아가는
유쾌한 웃음소리
로맨틱한 상상 속
이리저리 날갯짓하며

날마다 새로운 꿈
아주 멀리 펼쳐지는
갈 곳 없는 자유

꿈꾸는 마음
의미를 찾아

날개를 펴고
개구장이처럼 날아 오른다

비전의 그림

마음속에 피어난
음악 같은 소망
속삭이는 푸른 빛

깊이 간직한 꿈
이루어질 그날

품고 있는 희망
은은한 미소

내 마음속에
안겨있는 꿈
의미를 찾아서

꿈꾸며 살아간다

모험의 시작

가슴 속 깊이 새겨진 기억들
슴슴한 일상에 활기를 불어넣고
속삭이는 바람처럼 다가와

남은 발자국들을 따라가며
은은한 미소가 번진다

발자취마다 이야기가 스며들어
자그마한 순간들이 떠오르고
국경을 넘은 추억들이
과거를 밝게 비춘다

이야기의 끝은 아직 없고
야생의 모험은 계속된다
기억 속에 영원히 남아

여행의 추억

여름날의 햇살처럼
행복이 가득한 순간들

추억이 빛나는 시간
억누를 수 없는 웃음

남겨진 사진 속
기쁨이 넘치는 얼굴들
며칠간의 모험이

소중한 이야기로 남아
중요한 순간순간마다
한 폭의 그림처럼 펼쳐져

시간은 흘러가도
간직한 추억은 영원히

간간이 떠오르는 기억
직접 만든 소중한 시간들

목표의 지점

목표를 세우고
표류하지 않는 의지로

지칠 때마다
점점 더 가까워지는 꿈

도전의 길을 걸으며
달콤한 성공의 향기
해낼 수 있다는 믿음으로

성공이란 이름으로
공들인 시간의 결실을

이제는 웃으며 돌아보며
루틴을 넘어선 새로운 도전
어느새 다가온 목표의 지점

도전의 정신

자신을 넘어서기 위해
신념을 품고 나아가며

넘을 수 없는 벽도
기꺼이 마주하리라

위대한 꿈을 위해
한계를 넘어서고

위기 속에서 피어나는
대담한 용기와 웃음
한 순간도 놓치지 않고

힘찬 발걸음을 이어간다

꿈의 실현

황금빛 노을 아래 걷는 길
금빛 물결 속을 헤쳐나가며
빛나는 눈빛으로 희망을 노래하네

물든 하늘 아래 꿈을 안고
든든한 마음으로 나아가네

먼 길을 걸어온 우리의 발걸음

길이 끝나는 곳에서 웃음이 번지네
의미 깊은 순간을 맞이하며

끝내 웃음 지으며 행복을 노래하네

바람의 소원

별이 반짝이는 고요한 밤
이 밤에 소원을 빌어본다

보석 같은 꿈이 깃드는 밤
인생의 새로운 길이 열리길

밤하늘 속 별들이 속삭여
하얀 꿈이 이루어질 거라며
늘 함께하는 소원이 닿기를
의미 있는 삶이 펼쳐지기를

속삭이는 별들의 이야기
삭막한 현실도 밝게 비추며
임이여 희망을 품고 나아가네

성취의 기쁨

정상에 서서 내려다본 세상
상쾌한 바람이 얼굴을 스친다
에너지 넘치는 이 아침

서늘한 공기 속에 웃음이 번지고
서로의 손을 잡고 기쁨을 나누네

맞이한 첫 아침의 햇살
이 순간을 영원히 기억하며
한 걸음 더 나아가자 다짐하네

첫 발걸음에
아름다운 꿈이 피어나네

침묵 속에서도 웃음이 가득하네

변화의 물결

새벽의 어둠이 걷히며
벽에 걸린 그림자들 춤추고
의미를 찾는 눈빛들

빛나는 아침이 다가오고

맞이하는 새로운 날
이젠 두려움도 사라져
하늘의 별들도 휴식하고
며칠을 기다린 순간

뒤척이던 마음도
로맨틱한 하루를 시작하며
한 걸음씩 나아가고

밤이 남긴 흔적들
하늘 가득 채운 햇살이
늘 꿈꾸던 세계로 인도하네

새로운 시작

여명이 밝아오고
명쾌한 바람이 불어오네

붉은 하늘이 아름다워
은은한 빛이 퍼지네

빛으로 가득한 세상

머나먼 꿈이 현실이 되어
금빛 찬란한 아침
은총의 순간이 다가와

순간의 설렘 속에서
간절히 기다렸던 새로운 시작

마무리의 시간

저녁 노을이 번지고
문득 찾아온 고요

해가 지고 나면
와락 밀려드는 평온

함께한 시간들 속에서
깨닫는 행복의 순간
한낮의 소란마저도

고요히 잠드는 밤
요람 같은 평화

기대의 마음

새벽 안개 속 푸른 이슬 맺히고
싹이 트는 소리에 귀 기울이면
이내 퍼지는 웃음소리 들려와

돋아나는 초록의 생명들
아침 햇살 받으며 춤추고
난리난 듯이 환호성 지르네

봄바람에 실려오는 향기
의미 있는 시작을 알리네

축복의 순간마다 미소가
복잡한 마음 모두 녹여 주네

성장의 여정

빛나는 아침이 다가오고
을씨년스러운 밤은 사라지네

향긋한 바람이 불어와
해맑은 미소가 떠오르네

한 계단 오를 때마다

계속해서 희망이 생기고
단숨에 도약을 꿈꾸네

나아가리라 다짐하며
아무리 힘들어도 웃음 지어보리
가슴 속에 불꽃을 피우며
며칠 밤을 새워도 웃음으로 채우리

발견의 순간

어둠 속에서 빛나는
둠벙이 있는 작은 연못

속삭이는 별들 사이에

반짝이는 열쇠를 발견했네
짝꿍이랑 함께 찾아보자
인생의 비밀을 열어보자

열려라 참깨를 외치며
쇠로 된 문을 활짝 열어보자

비밀의 열쇠

아무도 모르는 작은 방
무거운 문을 열고 들어가면
도란도란 속삭이는 이야기들

알록달록 꿈들이 춤추고
지금껏 숨겨둔 비밀들

못다한 이야기들이
한 줄기 빛 속에 피어나네

비밀스러운 공간에서
밀려오는 웃음소리들

환상의 세계

문을 열고 들어가면
안개 속에 가려진
에메랄드빛의 세상이 펼쳐지고

숨겨진 마법의 길을 따라
은밀한 비밀이 속삭여지네

마법 같은 순간들 속에
법칙은 없는 자유로움
의미 있는 꿈들이 춤추고

땅 위에 웃음꽃이 피어나네

이상적인 삶

시작은 언제나 웃음으로

통쾌한 농담 주고받으며
해맑게 웃던 얼굴들

나란히 앉아
눈물 나도록 웃다가

영혼까지 닿은 대화
혼자가 아닌 순간
의미 깊어진 시간

대화 속에 피어나는
화기애애한 이야기

|맺음말|

저의 시집을 통해 여러분과 함께한 여정을 마무리하게 되어 매우 뜻깊습니다. 이 시집을 읽는 동안 여러분은 저와 함께 일상의 작은 순간들, 지나온 삶의 기억들, 다양한 감정의 변화들, 그리고 미래에 대한 희망을 함께 느끼셨을 것입니다.

1부 - 조각보
1부에서는 평일과 주말의 일상을 중심으로 한 시들이 담겨 있습니다. 평일의 바쁜 아침, 출근길, 퇴근 후의 일상 속에서 작은 행복과 고요함을 찾는 모습을 그렸으며, 주말의 여유로운 산책과 독서, 가족과의 시간을 통해 마음의 안정을 표현하고자 했습니다. 이 시집을 통해 전하고 싶은 메시지는 매우 간단합니다. 우리의 일상 속 작은 순간들을 소중히 여기고 그 속에서 행복과 위안을 찾자는 것입니다.

2부 - 모래시계
2부는 저의 지나온 삶을 돌아보며, 어린 시절부터 중학교 시절, IMF 시절의 어려움과 그 이후 평범한 가장으로서의 삶을 담고 있습니다. 각 시를 통해 삶의 여러 단계를 함께 경험하며, 그 속에서 얻은 소중한 기억과 깨달음을 나누고자 했습니다. 삶의 경험과 감정들이 시로 표현되면서 저에게 위안과 힘이 되어주었듯이, 독자 여러분께도 이러한 경험과 감정들이 위안과 힘이 되기를 바랍니다.

3부 - 팔레트

3부에서는 다양한 감정의 변화를 팔레트에 비유하여 표현했습니다. 기쁨, 슬픔, 분노, 사랑, 두려움, 희망 등 삶 속에서 겪는 다양한 감정들을 통해 우리의 내면이 더욱 풍부해지는 과정을 담았습니다. 저는 이 시집을 통해 여러분과 함께 이러한 소중한 순간들을 나누고 싶습니다.

4부 - 별자리

4부는 희망을 주제로 한 시들을 모았습니다. 각 시의 첫 글자를 연결하여 읽으면 하나의 문장이 되는 구성을 통해 재미를 더했습니다. 저의 희망과 소망을 통해 독자들과 소통하고, 새로운 희망을 찾아가는 여정을 함께 하고자 했습니다. 고등학생 시절 처음 시를 쓰기 시작했을 때 느꼈던 창작의 기쁨을 다시금 되찾으며, 이 시집을 통해 독자 여러분께도 그러한 기쁨을 전하고 싶습니다.

저의 시집이 여러분의 일상에 작은 위로와 영감을 주길 바라며, 함께 읽고 느끼며 공유할 수 있는 소중한 시간이 되기를 희망합니다. 우리가 살아가는 동안 겪는 여러 가지 어려움과 고난 속에서도, 작은 희망의 불씨가 우리의 삶을 밝히고, 새로운 길을 열어줄 것이라는 믿음을 전하고 싶습니다. 여러분의 삶 속에서도 이러한 희망이 항상 함께하길 바랍니다.

감사합니다.